Lecturas

Las Lecturas ELI son una completa
gama de publicaciones para lectores
de todas las edades, que van desde
apasionantes historias actuales a los
emocionantes clásicos de siempre.
Están divididas en tres colecciones:
Lecturas ELI Infantiles y Juveniles,
Lecturas ELI Adolescentes y Lecturas
ELI Jóvenes y Adultos. Además de
contar con un extraordinario esmero
editorial, son un sencillo instrumento
didáctico cuyo uso se entiende de forma
inmediata. Sus llamativas y artísticas
ilustraciones atraerán la atención de los
lectores y les acompañarán mientras
disfrutan leyendo.

RAQUEL GARCÍA PRIETO

IKTÁN
Y LA PIRÁMIDE DE
CHICHÉN
ITZÁ
(UNA AVENTURA MAYA)

ILUSTRACIONES DE TONI DEMURO

Lecturas ELI Adolescentes

Raquel García Prieto
Iktán y la pirámide de Chichén Itzá
(Una aventura maya)
Control lingüístico y editorial de Carlos Gumpert
Ilustraciones de Toni Demuro

ELI Readers
Ideación de la colección y coordinación editorial
Paola Accattoli, Grazia Ancillani, Daniele Garbuglia (Director de arte)

Proyecto gráfico
Airone Comunicazione – Sergio Elisei

Compaginación
Airone Comunicazione

Director de producción
Francesco Capitano

Créditos fotográficos
Shutterstock, Archivo ELI

© 2016 ELI s.r.l.
P.O. Box 6
62019 Recanati MC
Italia
T +39 071750701
F +39 071977851
info@elionline.com
www.elionline.com

Font utilizado 13/18 puntos Monotipo Dante

Impreso en Italia por Tecnostampa – Pigini Group Printing Division –
Loreto – Trevi (Italia) – ERT 249.01
ISBN 978-88-536-2104-7

Primera edición Febrero 2016

www.eligradedreaders.com

Sumario

Estos iconos señalan las partes de la historia que han sido grabadas.

empezar ▶   parar ■

PERSONAJES PRINCIPALES

IKTÁN

MUYAL

CANEK

SAC-NICTÉ

ULIL

AJ AAL

CHILÁN
CHEEN

CHILÁN
IIK

Vocabulario

1 ¿**Qué es? Une cada dibujo con su nombre.**

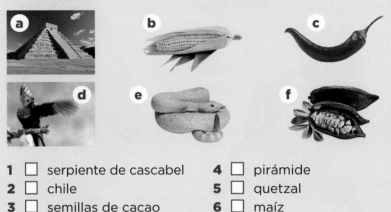

1 ☐ serpiente de cascabel   **4** ☐ pirámide

2 ☐ chile   **5** ☐ quetzal

3 ☐ semillas de cacao   **6** ☐ maíz

2 **Lee estos adjetivos sobre los personajes. Busca sus contrarios en la sopa de letras.**

fuerte ....*débil*...........   **4** hermosa ....

1 rico ....   **5** inteligente ....

2 ágil ....   **6** valiente ....

3 contento ....   **7** joven ....

B	E	L	C	J	O	S	I	D
I	G	N	O	R	A	N	T	E
B	L	X	B	E	E	T	R	B
Z	F	E	A	Y	B	O	I	I
P	O	B	R	E	D	R	S	L
C	L	R	D	S	U	P	T	W
V	V	I	E	J	O	E	E	T

Gramática

3 **Conoce algunos datos sobre el mundo maya en el que vamos a entrar. Completa con el Pretérito imperfecto de los verbos.**

El pueblo maya, que (estar) .... formado por varios grupos étnicos con rasgos comunes, (extenderse) .... por toda la península de Yucatán; el territorio (corresponder) .... a los actuales Honduras, Guatemala, Belice y una parte de México. Los personajes de nuestra historia (vivir) .... en el período final del esplendor maya, llamado período postclásico, hacia el año 1200 d. C. Los mayas (organizarse) .... en ciudades-estado en las que (gobernar) .... un jefe o rey. Fue una cultura politeísta: los mayas (creer) .... en varios dioses de la agricultura, los astros y los fenómenos atmosféricos. (Tener) .... su propia escritura en forma de glifos (escritura pictográfica) y (ser) .... unos excelentes astrónomos y matemáticos: (utilizar) .... un calendario de 365 días anuales y (disponer) .... de un sistema numérico vigesimal (basado en el número 20) que (incluir) .... el número cero.

Comprensión auditiva

▶ 2 **4** **Escucha el primer capítulo y di si estas frases son verdaderas o falsas.**

	V	F
1 El personaje que narra la historia es un rey.	☐	☐
2 Mayapán, Uxmal y Chichén Itzá eran tres ciudades amigas.	☐	☐
3 Iktán es un joven muy rico.	☐	☐
4 A Muyal no le gusta Aj Aal: a ella le gusta Iktán.	☐	☐
5 Las plumas de quetzal y las semillas de cacao son muy valiosas.	☐	☐

Capítulo 1

Iktán "el ingenioso"

▶ 2 Me llamo Chilán Iik, y durante la época de mayor esplendor de la gloriosa ciudad de Chichén Itzá yo fui el gran Sacerdote del Viento. Ahora soy un anciano que descansa tranquilo esperando su última hora. Pero he vivido junto a mi pueblo momentos tristes y otros heroicos: la destrucción de Chichén Itzá, que fue también la salvación de sus habitantes.

En aquellos tiempos, la Liga* de Mayapán tenía el poder sobre toda la península*. Gracias a esta alianza se mantenían la amistad y la paz entre las tres ciudades mayas más importantes que han existido: Mayapán, Uxmal y Chichén Itzá. En los magníficos templos de nuestras ciudades pedíamos a los dioses buenas cosechas* y nuestros mercados estaban llenos de productos que llegaban de pueblos y ciudades lejanas. No faltaban maíz, batatas, calabaza, chile y mucha fruta en las cocinas; y también pieles para nuestro calzado

Liga (aquí) agrupación, unión
península la Península de Yucatán

cosecha recolección de productos
agrícolas

y plumas de quetzal y piedras preciosas para los nobles y sacerdotes. Estudiábamos los planetas y las estrellas para realizar nuestro calendario; así sabíamos exactamente cuándo sembrar y cuándo llegaban las lluvias. ¡No ha existido pueblo más sabio que el nuestro!

Voy a empezar esta historia hablando de Iktán. Cuando tenía un año, sus padres fueron al campo a recoger el maíz. Dejaron al pequeño con su anciana abuela, pero no regresaron nunca: dos serpientes de cascabel les mordieron cuando descansaban. Un día el dios viento me dijo en un sueño: «Ayuda a ese niño, no debe morir. Es Iktán "el ingenioso", y su destino es el destino de tu pueblo». Yo doné* alimentos y vestiduras a su desamparada* abuela, y más tarde recibí a Iktán en el templo para darle consejos como un padre.

Iktán creció fuerte, ágil y astuto. Tenía muchos amigos y era un excelente jugador de pelota. Pero sobre todo era un joven tenaz*, alegre y de buen corazón. Pronto no quiso aceptar mi ayuda y se ganaba la vida trabajando en las tierras

doné regalé
desamparada sola y sin ayuda

tenaz constante, incansable

de sus vecinos o transportando productos al mercado. A veces, después de semanas de trabajo un comerciante generoso le pagaba con una semilla de cacao. ¡Un pequeño tesoro! Iktán me la entregaba y me decía: «Maestro, tú sabes que no tengo tengo nada. Soy hijo de campesinos y no tengo tierras. Pero en el futuro voy a comprarlas. Dejo mis futuras tierras en tus manos, por ahora».

❖ ❖ ❖

En aquellos días, la observación del viento y de las estrellas me comunicaban grandes cambios. El más importante para nuestro pueblo era la coronación de nuestro nuevo rey: Canek. Era un joven valiente e impetuoso*, nunca tenía miedo. «Todavía no tiene la sabiduría necesaria para ser un buen rey, pero seguro que aprende pronto», pensaba yo. ¡En realidad Iktán me preocupaba más que el futuro rey! Iktán estaba siempre muy contento, trabajaba muchísimo y no se cansaba nunca. Un día descubrí el motivo: estaba enamorado de una muchacha llamada

impetuoso impulsivo, que reflexiona poco antes de actuar

Muyal. Aquella mañana el mercado estaba lleno; comerciantes llegados de Uxmal y de Mayapán vendían y compraban frutos, animales, pieles... ¡Había un gran bullicio*!

—¡Hola Muyal! ¿Como estás esta mañana?— dijo Iktán—. Yo contentísimo: ayer un quetzal voló dos veces sobre mi cabeza. ¡Significa buena suerte!

—Buenos días, Iktán. ¡Me alegro por ti! ¿Y hablaste de mí al quetzal?— sonrió Muyal.

—¿De ti? ¡Claro que no! ¿Por qué?— contestó Iktán con un gesto de disimulo. Pero enseguida la miró a los ojos y le enseñó la mano que tenía escondida detrás de la espalda—: Mira, es un regalo del quetzal. Es para ti.

Muyal abrió mucho los ojos: era una preciosa pluma iridiscente* de la cola del pájaro sagrado, ¡un objeto muy valioso! Sonrió de nuevo y aceptó el regalo. Iktán era feliz.

Detrás de ellos, otro muchacho observaba la escena... y no, él no era nada feliz. Aj Aal, el hijo del poderoso sacerdote Chilán Cheen, también

---

bullicio ruido de mucha gente   **iridiscente** que cambia de color dependiendo del reflejo de la luz

estaba enamorado de la hermosa Muyal, pero ella no sentía lo mismo por él. ¡Qué humillación! Aj Aal provenía de una familia importante, era rico y temido por su fuerza. Pero Muyal rechazaba* sus regalos. ¡Y aceptaba los regalos de un huérfano pobre! «Necesito vengarme de ellos», pensó Aj Aal.

Muyal provenía de una familia de comerciantes muy respetados en Chichén Itzá. Era una joven tranquila e inteligente que tomaba sus propias decisiones, a veces en contra de las opiniones de sus padres. Ellos le decían: «No debes rechazar a Aj Aal, es el hijo del Gran Sacerdote y un gran honor para tu familia. ¡Además, puede ser peligroso!». Estaban preocupados por ella. Como yo estaba preocupado por Iktán. ▣

rechazar resistía, evitaba

Actividades

Comprensión lectora

1 Marca la respuesta correcta.

1 Chilán Iik era:
- **A** ☐ el padre de Iktán
- **B** ☐ un sacerdote importante
- **C** ☐ un joven valeroso

2 En el mercado de Chichén Itzá:
- **A** ☐ los productos provenían de los cultivos de la ciudad
- **B** ☐ había trigo y naranjas
- **C** ☐ había productos de muchos lugares cercanos y lejanos

3 Los mayas sembraban sus cultivos:
- **A** ☐ cuando se lo indicaban los astros
- **B** ☐ cuando llovía
- **C** ☐ cuando terminaban sus alimentos

4 Los padres de Iktán:
- **A** ☐ se fueron a vivir a otro lugar y no volvieron
- **B** ☐ murieron pronto
- **C** ☐ enviaron a Iktán a estudiar con Chilán Iik

5 El quetzal es un pájaro:
- **A** ☐ sagrado
- **B** ☐ muy sabroso
- **C** ☐ muy hablador

6 El joven Aj Aal:
- **A** ☐ estaba cansado
- **B** ☐ estaba enfermo
- **C** ☐ estaba celoso

Vocabulario

2 Di a qué personajes se refieren estos adjetivos que has leído en el texto.

hermosa • astuto • alegre • poderoso • impetuoso • desamparada • anciana • temido • valiente • peligroso • inteligente

1 Canek ....
2 Iktán ....
3 Muyal ....
4 Aj Aal ....
5 Chilán Cheen ....
6 Abuela de Iktán ....

DELE – Expresión oral

3 Mira la ilustración de la página 15 y descríbela. Puedes comentar estos detalles:

- ¿Cómo son las personas que aparecen en la fotografía? Describe a alguna de ellas: el físico, el carácter que crees que tiene...
- ¿Dónde están esas personas? ¿Cómo es ese lugar? ¿Qué objetos hay?
- ¿De qué están hablando?

Actividad de prelectura

4 El dios más importante para los mayas tenía forma de animal fantástico. ¿Adivinas cuál? Descúbrelo con este código secreto.

A = ● **I = ♦** **N = ✖** **R = ✿** **U = ✹**
C = ✔ **L = ✪** **O = ♥** **S = ▼**
E = ✜ **M = ▲** **P = ■** **T = ›**

▼ ✜ ✿ ■ ♦ ✜ ✖ › ✜ ✔ ♥ ✖ ■ ✪ ✹ ▲ ● ▼

_ _ _ _ _ _ _ _ _ _ _ _ _ _ _ _ _ _

Capítulo 2

El pacto

▶ 3 Todos los habitantes de Chichén Itzá estaban reunidos en la gran explanada y observaban la Gran Pirámide. Por fin el equinoccio* de primavera nos permitía ver a nuestro dios más importante: Kukulcán. El dios en forma de serpiente emplumada* enseñó a los hombres la agricultura y con el viento nos traía cada año las nubes del dios de la lluvia, Chaac. ¡Sin ellos no existe la vida!

El día en que empieza la primavera, Kukulcán desciende por la escalinata de la Pirámide para saludar a su pueblo y para indicar el inicio de los trabajos agrícolas. Todos lo esperamos con ansia, los hombres y mujeres cantan y los nobles y sacerdotes se visten de fiesta para mostrarle respeto. ¡Qué día tan emocionante y misterioso! Y por fin, desciende el sol y... ¡ahí está! ¡La serpiente en forma de luz ha bajado desde el cielo y se apoya durante unos momentos en la pirámide!

Equinoccio momento del año en que los días son iguales a las noches en toda la Tierra; ocurrre del 20 al 21 de marzo y del 22 al 23 de septiembre

emplumada con plumas

Cuando finalmente Kukulcán desaparece, el gran sacerdote Chilán Cheen anuncia a los habitantes de Chichén Itzá la noticia más esperada:

—¡Habitantes de Chichén Itzá, escuchad! Vuestros sacerdotes han leído los movimientos de las estrellas y dicen que ha llegado el momento: ¡el príncipe Canek debe ser nuestro rey! Dentro de una semana vamos a celebrar la coronación de Canek con una ceremonia en la Gran Pirámide, con los reyes y nobles de nuestras ciudades hermanas, Mayapán y Uxmal. Después, en honor del rey y para no atraer la desgracia de la sequía* y de las malas cosechas, vamos a celebrar el Juego de Pelota en honor de los dioses Kukulcán y Chaac. ¡El capitán del equipo ganador debe sacar el corazón del adversario para dárselo a los dioses!

En este momento Aj Aal buscó con los ojos a Iktán: ambos eran sin duda los mejores jugadores de pelota, y capitanes de los dos equipos rivales. ¡Se estaban desafiando con la mirada!

—Un día después, al* alba, la ciudad entera se debe encontrar en el Cenote* Sagrado —siguió

sequía largo periodo de tiempo sin lluvias
al alba cuando sale el sol

Cenote pozo natural de agua subterránea con salida al exterior

hablando Chilán Cheen—. Todos tenemos que llevar un objeto importante de nuestras casas para entregárselo al dios que habita en las aguas profundas con las que calmamos nuestra sed. ¡Pero también debemos hacer un gran sacrificio para pedir salud y fuerza a nuestro rey Canek! El sacrificio de... una muchacha. Debemos entregar una muchacha a las aguas del dios Chaac. ¡Y Chaac ha elegido a la joven Muyal! —gritó el anciano con una voz terrible.

Iktán permaneció quieto y mudo; sentía un sudor frío en la frente. Estaba petrificado*. «¡No, no puede ser! ¿Por qué Muyal? ¿Por qué?», se preguntaba con el corazón destrozado. Buscó a Muyal, pero la joven ya no estaba entre la multitud. Se marchó corriendo y se escondió en el bosque. Allí reflexionó y muy pronto su mente empezó a rebelarse: ¡tenía que salvar a Muyal por todos los medios! Deseaba ir a suplicar ayuda a Canek, al futuro rey en persona, pero era imposible acercarse al templo donde vivía. Entonces vino a hablar conmigo.

petrificado bloqueado, inmóvil

—¡Maestro Chilán Iik, ayúdame! Muyal es joven e inocente, ¿por qué debe morir?

—Es la voluntad de los dioses, hijo. Los hombres tienen que obedecer.

—¿La voluntad de los dioses? Si Chaac y los dioses del cenote son malvados y desean la muerte de Muyal, a mí no me interesa cuál es su voluntad— me dijo Iktán enfurecido.

—Iktán, ¿cómo te atreves a hablar así?

—Maestro, no lo puedo aceptar. Yo debo salvar a Muyal.

—De acuerdo, Iktán. Eres muy testarudo y tus protestas son muy peligrosas, pero tienes razón. Temo por tu vida durante el enfrentamiento de pelota: esa es la primera prueba que debes superar. ¡Duerme mucho, come bien, entrénate y compra el atuendo* necesario para ese día! Y Muyal... Muyal ha provocado su propia muerte porque te ha elegido a ti y no a Aj Aal. Chilán Cheen es el padre de ese muchacho y no ha podido soportar la ofensa de tu joven enamorada. ¡No es un sacerdote digno, es un cruel embustero*!

atuendo ropa, equipo   embustero mentiroso

—Oh maestro, ¡también es culpa mía! Yo no le tengo miedo a Aj Aal, pero sí a su padre. Tengo una idea, ¡voy a hablar con él!

No pude detenerle, solo le seguí hasta el Observatorio de las estrellas. Allí me escondí y escuché su conversación con Chilán Cheen; los dos ya estaban discutiendo de manera agresiva pero fría a la vez.

—Lo que te propongo, Gran Sacerdote, es un intercambio. Sé que amas a tu hijo y que no quieres verlo morir. Si mis hombres y yo ganamos el desafío de pelota en el que me enfrento a tu hijo, le perdono la vida. A cambio, tú perdonas la vida a Muyal.

—¡Ja, ja, ja, ja! —Chilán Cheen se reía a* carcajadas—; ¿Tú crees que vas a ganar a mi hijo? ¿Tú, un huérfano que sobrevive solo gracias a la ayuda del viejo Chilán Iik? ¡Mi hijo es el más fuerte de Chichén Itzá, y los dioses están de su parte!

—Yo también soy fuerte. Recuerda: mis motivos para vivir son más grandes que los de Aj Aal. Yo tengo el amor y él la venganza.

a carcajadas de forma muy impetuosa y enérgica

La cara de Chilán Cheen estaba roja de ira:

—De acuerdo. Pero no puedo decir a la gente que los dioses han cambiado de opinión. Si tú ganas, el nudo de las cuerdas que atan a Muyal se va a deshacer después de caer al cenote. Puedes esperar abajo para ayudarla. Si no ganas... os espera la muerte, a los dos.

Yo escuchaba horrorizado. ¿Por qué mi buen Iktán se fiaba de Chilán Cheen? Quizá porque era su última esperanza. Aquella noche Iktán fue a hablar con Muyal. Ágil como un mono, no lo vieron entrar en el templo donde ella estaba encerrada para su purificación. Allí discutieron el plan de Iktán. Muyal confiaba en él y ya estaba preparando, con la ayuda de sus primas y amigas, todo lo necesario para huir* con él a un lugar lejano.

huir escapar, fugarse

Comprensión lectora.

1 Une cada pregunta con su respuesta.

1 ☐ ¿Qué esperan los habitantes de Chichén Itzá el
primer día de primavera?

2 ☐ ¿Con qué fin se celebra el juego de la pelota?

3 ☐ ¿Quiénes son rivales en el juego de la pelota?

4 ☐ ¿Canek es el rey de Chichén Itzá?

5 ☐ ¿Qué es el Cenote Sagrado?

6 ☐ ¿Para qué está dispuesto Iktán a desobedecer al dios Chaac?

7 ☐ ¿Qué propuso Iktán al Gran Sacerdote?

a Iktán y Aj Aal.

b La visita del dios Kukulcán a la Pirámide.

c Todavía no, lo va a ser dentro de una semana.

d Salvar la vida de Aj Aal para salvar también la de Muyal.

e Para salvar a Muyal.

f Para evitar el castigo de los dioses: sequías y malas cosechas.

g Un gran pozo natural de agua en el que creen que vive
el dios Chaac.

**2 ¿Qué ha pasado, qué pasa y qué va a pasar en los próximos
días? Coloca por orden cronológico.**

☐ Toda la ciudad se encuentra en el Cenote Sagrado.

☐ Iktán va a hablar con Muyal en el templo donde está encerrada.

☐ Se celebra el Juego de Pelota en honor a los dioses Kukulcán
y Chaac.

[7] El dios Kukulcán, en forma de serpiente emplumada,
desciende por la Gran Pirámide.

☐ Iktán y Chilán Cheen hacen un pacto: si Iktán gana el partido,
Muyal se salva.

☐ Canek es coronado rey de Chichén Itzá en una gran
ceremonia.

Gramática

3 **Completa este diálogo entre Iktán y Muyal con la forma del imperativo de segunda persona singular.**

1 Iktán: ¡Muyal, estoy aquí! ¡(abrir) .... la ventana!
2 Muyal: (Venir) .... Iktán, (entrar) ....
   despacio para no despertar a los soldados.
3 Iktán: He hablado con Chilán Cheen. Tenemos un pacto.
   Si gano el partido voy a perdonarle la vida a Aj Aal, y tú
   te vas a salvar. ¡(Tener) .... confianza en mí!
4 Muyal: Estoy segura, sé que eres el mejor. Pero ahora
   (calmarse) .... y (concentrarse) ....,
   debes prepararte bien para el enfrentamiento.
5 Iktán: De acuerdo Muyal. (Decirme) .... si
   necesitas algo, ¿te tratan bien?
6 Muyal: Sí, tranquilo. ¡Ahora (irse) ...., si te ven
   aquí te pueden hacer daño!
   Iktán: Tienes razón. Nos vemos dentro de una semana.
   Muyal: Sí. Hasta pronto, Iktán.

Actividad de prelectura

DELE - Comprensión auditiva

▶ 4 **4** **Escucha el siguiente capítulo y responde: ¿verdadero o falso?**

	V	F
1 Canek y Sac-Nicté se enamoran durante la cena de celebración.	☐	☐
2 En el juego, la pelota se puede tocar solo con codos, rodillas y caderas.	☐	☐
3 Canek no va a la boda de Sac-Nicté y Ulil.	☐	☐
4 Iktán piensa que todos, esclavos y reyes, pueden sufrir por amor.	☐	☐

Capítulo 3

La traición

▶ 4 La ciudad entera olía a flores y a incienso de copal⋆, y estaba adornada con plumas, plantas y tejidos de mil colores. La Gran Pirámide resplandecía bañada por el sol. ¡Había mucha gente que venía de todos los rincones de la península! En lo alto de la Pirámide estaban los ancianos padres de Canek, los sacerdotes y, un escalón más abajo, los reyes de Uxmal y Mayapán. Era la Alianza de Mayapán al completo, en un ambiente de paz y alegría. Comenzaron a sonar flautas, ocarinas y trompetas de caracol. Luego, se oyeron tambores y caparazones de tortuga junto al canto misterioso de los sacerdotes. En ese momento apareció Canek, el magnífico nuevo rey. El Gran Sacerdote le colocó en la cabeza la gran corona de gemas⋆ y largas plumas de quetzal. Todos levantaron sus manos y gritaron de alegría: ¡Viva Canek, el nuevo rey! Canek saludó y estaba bajando las escaleras de la Pirámide... cuando sus ojos se⋆ cruzaron

copal resina vegetal importante en la tradición médica y religiosa

gemas piedras preciosas, joyas
se cruzaron con (aquí) encontraron

con los de la bellísima Sac-Nicté. El rey se detuvo. No podía casi respirar y le temblaban las piernas. ¡Nunca antes se sintió así! Sac-Nicté, la flor blanca, la princesa de Mayapán, también lo miraba y la emoción la hacía más hermosa. Por fin, Canek decidió continuar su camino y todos siguieron sus pasos hacia el campo del juego de pelota, donde pronto iba a empezar el enfrentamiento.

El campo de pelota de Chichén Itzá era magnífico, no se conocía otro igual. Allí se* retaban los mejores jugadores-guerreros de toda la Alianza. Y aquel día... ¡iba a ser una lucha a vida o muerte!

Iktán se sentía listo para todo. En toda aquella semana terminó sus reservas de comida y se entrenó durante horas. Gracias a sus semillas de cacao tenía las mejores piezas de piel para proteger sus codos, rodillas y caderas: eran las únicas partes del cuerpo con las que se podía tocar y lanzar la pesada y dura pelota de caucho*. Y sus compañeros de juego lo estimaban mucho, querían ganar por él. El otro equipo también estaba listo; Aj Aal y sus hombres

se retaban se enfrentaban

caucho sustancia vegetal proveniente de América que se convierte en goma

se estaban colocando en su mitad del campo para empezar el juego. Desde uno de los altos muros laterales, Canek dio la señal: ¡que empiece el juego!

La pelota empezó a volar de un lado al otro del campo, golpeada por los jugadores, que la paraban con los codos y realizaban altos saltos para pegarle con la cadera o con la rodilla. La pelota rebotaba en los muros laterales, pero no entraba por el aro de la victoria. Aj Aal recibió hábilmente la pelota con la cadera, y con la rodilla se la lanzó a Iktán directamente en el pecho... Iktán, impotente y con un fuerte dolor debido al golpe, vio cómo la pelota caía al suelo. ¡Era un punto importante para su rival! Los jugadores corrían y saltaban con todas sus fuerzas y el público gritaba y hacía apuestas; Chilán Cheen veía con orgullo que su hijo era el favorito y además estaba a punto de ganar. De pronto, Iktán vio llegar la pelota. Con un intenso grito, saltó apoyando los pies en la pared, lanzó hacia arriba la pelota con el codo y... ¡victoria! ¡La pelota atravesó el aro! El público enmudeció★ sorprendido, y luego gritó a coro con entusiasmo:

enmudeció se quedó callado

«¡Iktán, Iktán!». Todos sus compañeros lo abrazaron y él miró con una sonrisa desafiante a Chilán Cheen, que estaba muy pálido. Entonces, pidió silencio y dijo con voz firme:

—¡Escuchadme todos! Los dioses han sido generosos, nos han regalado este día de gloria y han concedido buenas cosechas. Nosotros debemos ser generosos como ellos. Por eso, como vencedor, ofrezco a los dioses el corazón de Aj Aal dentro y no fuera de su pecho. ¡Va a servir a los dioses como futuro sacerdote!

Desde ese momento, Iktán fue el héroe de toda la Liga Mayapán: incluso los príncipes se levantaron para aplaudir. Y así, con inmensa alegría, todos se dirigieron a la gran explanada para disfrutar del gran banquete* que ponía fin a aquel día memorable.

Iktán no se alegraba de tener el honor de sentarse a las mesas más cercanas a los príncipes y reyes. Tampoco disfrutaba con el privilegio de beber chocolate, la bebida sagrada de los dioses hecha con semillas de cacao. Él solo quería hablar con Chilán Cheen: ¡ahora el sacerdote debía cumplir su promesa!

---

banquete comida o cena muy abundante

Estuvo esperando el final de la cena y observó a los reyes de Mayapán y Uxmal acercarse al joven rey Canek. Esto es lo que dijo el rey de Mayapán:

—Querido amigo y aliado rey Canek, nos sentimos honrados y agradecidos por tu invitación a este gran día. Tú también debes venir a compartir nuestra alegría: vamos a celebrar el matrimonio entre nuestros hijos Ulil y Sac-Nicté. De esta forma, la alianza entre nuestras tres ciudades va a ser más fuerte. ¡Te esperamos dentro de treinta días en la feliz ciudad de Uxmal!

Canek dirigió una severa mirada a Sac-Nicté, que tenía los ojos bajos y tristes. Su respuesta fue:

—Allí nos vemos, en treinta días.

Iktán notó los puños cerrados y tensos de Canek y sintió compasión por su rey. «Tampoco los reyes están libres del sufrimiento. Ni siquiera el corazón más duro y valiente tiene armas para derrotar* al amor. Mi rey ya ha perdido esta batalla».

Varias horas después, cuando la música y los bailes terminaron y las mesas estaban vacías, Iktán fue de nuevo al Observatorio de las estrellas.

derrotar vencer

Sabía que allí estaba Chilán Cheen esperándole y midiendo con la mirada la distancia entre los astros celestes*.

—Gran Sacerdote, estoy aquí para asegurarme de que recuerdas tu promesa. Mañana voy a esperar a Muyal en el fondo del cenote y sus manos deben estar libres cuando lleguen al agua para permitirle bucear hasta donde yo me voy a esconder, entre las algas y las ramas.

—Muchacho, eres un ingenuo. ¿Crees que voy a enfrentarme a los dioses del Cenote Sagrado?

—Pero... he salvado la vida de tu hijo, no lo he humillado ante el público, he sido generoso con él y contigo —replicó Iktán con un* hilo de voz, sin creer sus palabras.

—¡Ellos han dicho que quieren a Muyal! ¿Quieres provocar la ira de los dioses? ¿Deseas la desgracia de la sequía para tu pueblo? ¡Vete de aquí! ¡Olvida la idea de salvarla, no te vas a acercar a ella! ¡Vete o soy capaz de ahogarte en el cenote junto a Muyal!

Iktán corrió y corrió hasta quedarse sin aliento. ▪

---

celestes del cielo   un hilo (de voz) débil y de baja intensidad

Comprensión lectora

1 Marca la respuesta correcta.

1 Canek y Sac-Nicté se miraron por primera vez:
   A ☐ en la coronación de Canek
   B ☐ durante el Juego de Pelota
   C ☐ durante el banquete

2 Cuando Aj Aal golpeó con la pelota a Iktán:
   A ☐ Iktán paró la pelota con el codo
   B ☐ Iktán gritó de dolor
   C ☐ el equipo de Aj Aal ganó un punto

3 Iktán dejó a Aj Aal con vida diciendo que:
   A ☐ Aj Aal tenía buen corazón
   B ☐ su corazón no servía a los dioses
   C ☐ los dioses estarían contentos porque eran generosos

4 El anuncio de la boda de Sac-Nicté y Ulil:
   A ☐ creó una mayor amistad entre las ciudades
   B ☐ causó tristeza a Sac-Nicté
   C ☐ fue una buena noticia para Canek

5 Para no cumplir su promesa, Chilán Cheen dijo:
   A ☐ que Iktán no había jugado bien
   B ☐ que no quería desobedecer a los dioses
   C ☐ que su hijo se sentía humillado

Gramática

2 Completa con el Pretérito perfecto esta reflexión de Chilán Cheen cuando espera a Iktán.

«Este muchacho es demasiado rebelde, no voy a permitir estas reacciones. Además, ¡(él, humillar) .... a mi propio hijo delante de todos! Aj Aal (perder) .... dos veces: un insignificante hijo de campesinos le (conceder) .... seguir con vida, y una joven insumisa lo (rechazar) ...., ¡pero yo me voy a vengar! Iktán (ser) .... un estúpido, ¿pensaba vencer al gran Chilán Cheen? Le (yo, decir) .... que voy a permitir la salvación de Muyal, pero no lo haré. ¡Mi poder es infinito, y estos jóvenes me (provocar) .... ya demasiado!

Actividad de prelectura

Vocabulario

3 En el capítulo 4, vemos que Iktán ha llegado al Cenote Sagrado. ¡Completa el crucigrama y descubre a quién encuentra allí en plena noche!

1 Material del que está hecha la pelota con la que juegan los mayas.

2 Para ganar el juego, la pelota debe pasar por él.

3 El ganador del juego se lo arranca al perdedor para ofrecérselo a los dioses.

4 Bebida sagrada hecha con semillas de cacao.

5 El nombre de este personaje significa "el ingenioso".

37

Capítulo 4

En las aguas del cenote

▶ 5 —Nunca más voy a dormir, no voy a descansar jamás, mi pecho arde de cólera y mi cabeza estalla. ¿No soy yo el rey Canek, la serpiente negra? ¿No soy invencible? ¡Dioses del Cenote Sagrado! ¿Qué puedo hacer para calmarme? ¡Ayudad a vuestro hijo predilecto! ¡Haced un hechizo*, borrad a Sac-Nicté de mi mente!

En la oscuridad de la noche, iluminado solo por una delgada luna, Canek se lamentaba y suplicaba a los dioses mirando las profundas aguas del Cenote Sagrado. Buscaba en ellas una respuesta a sus preguntas y un remedio para no volverse loco. De pronto, oyó un pequeño ruido entre las plantas. Vio una sombra que se movía y, con un movimiento rápido como el de un jaguar, levantó su lanza. Estaba a punto de lanzarla, cuando la sombra dijo:

—¡Rey Canek, frena tu lanza! ¡Soy Iktán!

Iktán salió de entre las sombras y se acercó muy despacio hasta el gran pozo, donde estaba Canek.

---

hechizo magia, encantamiento

—No deseaba espiarte y tampoco molestarte en tu conversación con los dioses, gran señor. Perdona si he escuchado tus palabras.

—Iktán, ¿qué estás haciendo aquí? —respondió Canek.

—El motivo que me ha traído aquí es muy similar al tuyo. Sé que tu corazón está atravesado por una lanza y no tiene remedio. No vas a tener paz nunca más si Sac-Nicté se casa con el príncipe Ulil. ¡Tu enfermedad no tiene cura! ¡Debes luchar por ella!

—¿Y tú cómo lo sabes? ¿Eres un sacerdote, un brujo? Yo intento ser razonable, uso todas mis fuerzas para detener mi espíritu feroz y guerrero, ¿por qué me* empujas a tomar una decisión que puede crear enormes problemas a mis súbditos?

—Rey Canek, yo soy solo un campesino pero sé lo que te sucede. Yo también estoy sufriendo. Mi amada Muyal está condenada por un capricho del Gran Sacerdote. Muyal rechazó a Aj Aal y me eligió a mí. Ahora va a morir ahogada en estas aguas... ¡y yo no sé qué más puedo hacer para salvarla!

me empujas me animas

39

—Iktán, arriesgas mucho al decirme estas palabras. ¿Te* atreves a enfrentarte a los deseos de los dioses? Estás acusando al Gran Sacerdote en mi presencia, ¿no lo temes? ¿Y no me temes a mí? ¡Si lo deseo, puedo ordenar tu muerte mañana, junto a Muyal!

—De acuerdo entonces, Canek. Adelante. Es mi deseo.

Canek comprendió que Iktán no tenía miedo, que el temperamento* de aquel joven era igual que el suyo. Que era noble y se podía fiar de él. Sonrió y afirmó, poniendo una mano en su hombro:

—Tú y yo somos iguales. Tienes razón: es mejor luchar y correr riesgos* que rendirse y no hacer nada. Mañana Muyal no va a morir. Mis guerreros y yo mismo vamos a obligar a Chilán Cheen a devolverte el favor que le hiciste cuando perdonaste la vida de Aj Aal.

Iktán tuvo que hacer un gran esfuerzo para no abrazar a su rey, y le dio las gracias.

—También vamos a prepararnos para ir a la boda de Sac-Nicté. Tú y yo junto a sesenta

---

te atreves osas, te arriesgas   **correr riesgos** poner en peligro la vida
temperamento carácter, personalidad

hombres bien entrenados. En treinta días todo va a cambiar. La vida en Chichén Itzá exige demasiada muerte, y los poderosos no siempre son justos. Vamos, amigo mío. Mañana es un día importante.

❖❖❖

Al amanecer el Cenote Sagrado estaba rodeado de itzaes*. Todas las familias llevan consigo un regalo para los dioses del agua: estatuillas, joyas, vasijas*, conchas de colores y muchos otros objetos que lanzaban al agua cantando. Cuando por fin terminaron todos, llegaron Canek y el Gran Sacerdote. Chilán Cheen venía rodeado de guerreros; parecía muy viejo y cansado aquella mañana. Delante de todos ellos, al borde del cenote, se colocó la hermosa Muyal. Llevaba valiosas joyas, un precioso vestido y sus negros cabellos estaban sueltos. Con las manos atadas a la espalda, miraba fijamente a los habitantes de la ciudad, como despidiéndose de ellos. No se lamentaba, no temblaba, parecía que no tenía miedo. «¡Qué valiente!», pensaban algunos. Otros

itzaes gente de Chichén Itzá   **vasijas** recipiente de barro

murmuraban temblando: «Es tan joven... ¡y tan bella! Oh, cuando pienso que mi hija podría estar en su lugar... ¿cómo podría soportarlo?».

Chilán Cheen pronunció las palabras del ritual y, bajo la atenta mirada del rey, empujó a Muyal, que cayó en el pozo. Los itzaes cantaron a los dioses y, poco después, volvieron a Chichén Itzá siguiendo a su rey. Chilán Cheen caminaba con ellos, y planeaba en silencio su venganza.

En el cenote, Iktán esperó la caída de Muyal. Como había prometido, Canek obligó al Gran Sacerdote a atar las manos de la muchacha con un nudo muy débil. Así, Muyal pudo nadar bajo el agua y acercarse al borde, donde Iktán la ayudó a subir a las largas ramas que, desde la alta superficie, llegaban hasta el agua. Se abrazaron con fuerza, ¡por fin iban a estar juntos! Permanecieron en silencio durante una hora y después treparon por las ramas hasta salir del gran pozo. Se escondieron en el bosque y allí varias amigas de confianza de Muyal los estaban esperando con un gran bolso de piel y dos cestos llenos de ropa y alimentos:

todo lo necesario para escapar y no regresar nunca. Era imposible volver a Chichén Itzá: si sus habitantes se daban cuenta de que Muyal e Iktán desobedecían al Gran Sacerdote y sobre todo de que engañaban a los dioses... ¡no querían ni pensarlo! Eran ya unos traidores.

—Muyal, no podemos irnos ahora: he prometido a Canek mi ayuda. Una cueva en el bosque va a ser tu casa durante treinta días; espérame allí.

—Vete tranquilo, Iktán. Mis queridas amigas van a traerme agua y maíz una vez a la semana y yo no voy a ver la luz del sol hasta tu regreso. No tengo ningún miedo y tú tampoco debes tenerlo.

Se sonrieron y se abrazaron, pensando ya en su huida y en su nueva vida en libertad. Luego, Iktán se dirigió sigilosamente* hacia la ciudad.

sigilosamente sin hacer ruido, con cuidado

Actividades

Comprensión lectora

1 **¿Verdadero o falso? Corrige las frases falsas en tu cuaderno.**

		V	F
1	Canek pedía ayuda a los dioses para olvidar a Sac-Nicté.	☐	☐
2	Iktán dice a Canek que debe matar a Ulil para poder estar con Sac-Nicté.	☐	☐
3	Canek decide ir solo a la boda de Sac-Nicté.	☐	☐
4	Todos los habitantes de Chichén Itzá lanzaban objetos al cenote en silencio.	☐	☐
5	La actitud de Muyal al borde del Cenote Sagrado era de gran heroísmo.	☐	☐
6	Muyal podía estar tranquila y volver a su casa para esperar a Iktán.	☐	☐
7	Muyal dijo que no iba a salir al aire libre hasta el regreso de Iktán.	☐	☐
8	Iktán y Muyal desean irse para siempre de Chichén Itzá.	☐	☐

DELE - Expresión e interacción escritas

2 **Imagina que Muyal le escribe una carta a una amiga que vive en una ciudad lejana. En ella le habla de Iktán. Escríbela tú (unas 150 palabras), contando:**

– quién es Iktán y por qué le hablas de él;
– cómo es (física y de carácter) y algún dato de su vida;
– alguna anécdota pasada, y cuál es su situación actual.

Querida amiga:
¿Qué tal estás? Te escribo para hablarte de un chico maravilloso. Se llama...

Gramática

3 **¿Cómo se forman los cenotes?**
Subraya la palabra correcta.

Se crearon *desde/hace* millones de años,
en la última Era del Hielo. La Península de
Yucatán era una zona cubierta *para/por* el mar que, al descender,
dio origen a un suelo de piedra caliza. La piedra caliza es *muy/
mucho* porosa y permite la filtración *de la/del* agua de lluvia: esta
llena los numerosos túneles y cavernas del subsuelo y así se forman
los ríos subterráneos. *Con/Desde* el tiempo, la piedra caliza de la
superficie se descompone y se desploma dando lugar a los cenotes.
Los *anticuados/antiguos* mayas tenían mucho respeto a los
cenotes, que eran su fuente de agua, y también los consideraban
la entrada al inframundo. Estas pozas de agua cristalina existen
dentro/en pocos lugares en el mundo; en la Península de Yucatán
hay/están unos 10.000 cenotes.

Actividad de prelectura

DELE - Comprensión auditiva

▶ 6 **4** **Escucha el capítulo 5. ¿A quién se refieren estas frases?**
(A = Aj Aal; M = Muyal; U = Ulil)

	A	M	U
1 Tranquiliza a Chilán Iik y confía en Iktán.			
2 Grita que Canek es un traidor.		✓	
3 Está contento porque ha descubierto a Muyal.			
4 Quiere empezar una guerra.			
5 Ha hablado con los itzaes, uno a uno.			

47

Capítulo 5

Luchar para cambiar

▶ 6 Cuando escuché los planes de Canek, comprendí que la historia de los itzaes iba a cambiar. Canek ya no se fiaba de Chilán Cheen. Sabía que todos me apreciaban por mi sabiduría y mi prudencia, y me* confió una misión vital: yo tenía que preparar a todos los habitantes de Chichén Itzá para los graves acontecimientos que iban a suceder.

—Chilán Iik, sacerdote del viento: la Liga de Mayapán está a punto de desaparecer —me dijo—. Tengo que hacer un viaje. Pero a mi regreso, todos nuestros ciudadanos, incluyendo niños, mujeres y ancianos, tienen que estar listos. ¡Todos!

Los vientos soplaron fuerte y cambiaron de dirección tres veces: yo comprendí que se estaba acercando un gran peligro. Pero debía obedecer al rey.

Varios días más tarde, en la ciudad de Uxmal, las flores perfumaban el aire de la mañana y cubrían todos los rincones, como una enorme alfombra

me confió me encargó, puso bajo mi responsabilidad

48

multicolor. La fiesta organizada para el matrimonio de Sac-Nicté y Ulil era grandiosa. Por sus limpísimas calles desfilaban* invitados extranjeros con lujosos ropajes*, y detrás de ellos esclavos cargados de regalos para la feliz pareja. Reyes de otras ciudades lejanas ya tomaban su puesto en la Pirámide de Uxmal, que era el lugar elegido para la ceremonia. Todos los reyes, excepto uno. Ulil y su padre estaban sorprendidos del retraso de Canek: ¿su aliado tenía algún problema? ¿Tenían que esperarle? Pasaron las horas y por fin llegó el momento en el que el sol, padre de todos los dioses, se colocó en lo más alto del cielo. Ulil miró hacia abajo y vio a Sac-Nicté sentada en un trono transportado sobre los hombros por cuatro espléndidos jóvenes. Estaba preciosa* con su vestido de ceremonia, pero su cara no reflejaba felicidad. Estaba cansada del viaje, quizá... Sac-Nicté subió las escaleras y se colocó junto a su futuro esposo. El sacerdote de Uxmal empezó a pronunciar las palabras que sellaban* la unión de los dos jóvenes, pero de pronto quedó en silencio, con los ojos muy abiertos.

desfilaban caminaban, circulaban
ropajes vestidos, trajes

preciosa hermosa, muy guapa
sellaban daban solemnidad

—¿Qué te sucede, sacerdote? —preguntó Ulil—. ¿Por qué te detienes?

Cuando miró a sus espaldas vio abrirse un camino entre la muchedumbre* para dejar paso a varias decenas de hombres que corrían hacia la pirámide. Cuando estos hombres llegaron al altar, Ulil descubrió que estaban armados, ¡y que el primero era Canek! Sin decir ni una palabra, Canek tomó entre sus brazos a la princesa, se dio la vuelta y regresó por donde había venido. Sus hombres lo siguieron, tan silenciosos como él. Todo sucedió rápidamente, y nadie tuvo tiempo de reaccionar: ¡en pocos minutos desaparecieron! Entonces Ulil razonó y comprendió la realidad. Miró a la gente allí reunida y gritó enfurecido:

—¡Canek es un traidor! Desde este momento la paz ha terminado entre las ciudades de Chichén Itzá y Uxmal. ¡Todos sois testigos de que lo que ha pasado! ¡Rey de Mayapán, une tu ejército al mío para luchar contra Canek y venceremos!

Firmaron enseguida un pacto: reunir en dos días un gran ejército armado y conquistar Chichén Itzá.

---

muchedumbre gran cantidad de gente

En Chichén Itzá las cosas no estaban saliendo como yo quería. Chilán Cheen no era un ingenuo. Sus espías escucharon mi conversación con Canek y decidió impedir nuestros planes. Me hizo prisionero junto a mis colaboradores y amigos; de esa manera yo no podía avisar a los ciudadanos de la inminente* guerra que estaba llegando a Chichén Itzá. Todos debían prepararse para dejar la ciudad y seguir a su rey hasta un lugar hermoso en el que reina la paz y no existen los sacrificios. Esto es lo que deseaba Canek, pero yo no podía cumplir mi misión. Chilán Cheen quería la guerra, aliarse con los enemigos y mantener su poder como Gran Sacerdote.

—Viejo sacerdote, te traigo compañía —exclamó triunfalmente Aj Aal entrando en nuestra celda—. Durante semanas he seguido a estas muchachas y he encontrado un tesoro que estaba perdido... ¡Muyal! ¿Pensábais reíros de mí y de mi padre? ¡Ja, ja, ja! ¡Ahora me río yo!

Aj Aal empujó a Muyal y a sus amigas cómplices, que cayeron al suelo de la celda. Luego se fue.

inminente inmediata, cercana

—Querido Chilán Iik —dijo dulcemente Muyal—, yo confío en Iktán. Sé que nos va a salvar. Para ayudarle, durante estas semanas mis cómplices y yo hemos ido casa por casa para hablar con los itzaes. Nuestras madres no quieren perder más hijas e hijos, muertos por culpa de un sacerdote malvado y mentiroso. ¡La rebelión ha comenzado!

Yo estaba tan sorprendido que no sabía qué decir. ¡Muyal y las otras muchachas eran realmente sabias y valerosas! Era todo cierto: ya se oían las voces de la gente por la calle, y pronto llegaron hombres y mujeres a liberarnos. Chilán Cheen y Aj Aal tomaron nuestro lugar en la celda y, para esperar el regreso de Canek e Iktán, nos fuimos con nuestros amigos y vecinos a preparar las cosas necesarias para huir de nuestra amada ciudad.

Dos días más tarde llegó a Chichén Itzá un enorme ejército. A* la cabeza de aquella multitud estaba Ulil, dispuesto a matar a todos los itzaes para vengarse de Canek. Centenares de hombres armados entraron en las casas, los palacios y los

a la cabeza al frente, como jefe

templos... ¡y no encontraron nada! ¡Era una ciudad completamente vacía! Lleno de furia y de odio, Ulil ordenó destrozar e incendiar toda la ciudad para luego abandonarla y volver a su tierra.

❖ ❖ ❖

Los itzaes ahora viven en paz en una isla llamada Tayasal, rodeada por las aguas de un tranquilo lago que se encuentra a muchos, muchos días de camino de Chichén Itzá. Canek y Sac-Nicté viven felices aquí, en un lugar donde no existen las pirámides, ni las luchas por el poder ni los sacrificios.

Yo solo espero ver de nuevo a mi querido Iktán y a Muyal, que mantuvieron su promesa y huyeron para vivir en los bosques, solos y libres. ◼

Actividades

Comprensión lectora

1 Escribe preguntas para estas respuestas.

1 ¿Qué pensaban ....?
Pensaban que Canek tenía algún problema.

2 ¿Cómo .... a Uxmal?
Llegó sentada en un trono.

3 ¿Qué dijo ....?
No dijo nada: se llevó a Sac-Nicté en silencio.

4 ¿Qué ....?
Encontraron la ciudad vacía.

5 ¿Dónde ....?
En una isla llamada Tayasal.

6 ¿Cómo ....? Solos y libres.

7 ¿Quién .... esta historia?
El anciano Chilán Iik.

2 Lee estas frases y contesta: ¿verdadero o falso?

		V	F
1	Había muchos invitados extranjeros para el matrimonio de Ulil y Sac-Nicté.	☐	☐
2	Sac-Nicté estaba cansada pero feliz y muy hermosa.	☐	☐
3	Canek llegó tarde a la ceremonia porque estaba hablando con Chilán Iik.	☐	☐
4	Ulil declaró que Uxmal y Chichén Itzá eran ciudades enemigas.	☐	☐
5	Chilán Cheen deseaba luchar contra Ulil y al rey de Mayapán.	☐	☐
6	Aj Aal descubrió dónde estaba Muyal.	☐	☐
7	Los habitantes de Chichén Itzá se rebelaron contra el Gran Sacerdote.	☐	☐
8	Ulil destruyó Chichén Itzá y persiguió a los itzaes para matarlos.	☐	☐

Gramática

3 Subraya la preposición correcta.

1 Chilán lik tenía que preparar a los itzaes *por/para* la guerra que podía estallar.

2 En la ciudad todos respetaban a Chilén lik *por/para* su sabiduría.

3 "¡*De/Desde* ahora la paz ya no existe entre Chichén Itzá y Uxmal!"

4 Los invitados a la fiesta de matrimonio tenían muchos regalos *para/por* la pareja.

5 Canek dijo que la Liga de Mayapán estaba *a/en* punto de desaparecer.

6 La ciudad de Tayasal estaba rodeada *para/por* las aguas de un lago.

4 Completa esta carta de Iktán a Chilán lik con el pretérito indefinido.

Querido Maestro:
Muyal y yo estamos muy bien y somos muy felices. El mes pasado (yo, encontrar) .... a un hombre cuando cazaba. Me (él decir) .... que Chilán Cheen y Aj Aal (ellos, conseguir) .... escapar de la celda y (ellos, irse) .... con Ulil a Uxmal. Pero los habitantes de Uxmal no los (recibir) .... bien y Aj Aal (estar) .... trabajando en los campos como esclavo. Como sabes, Ulil (destruir) .... nuestra amada ciudad e (él, hacer) .... incendiar la Gran Pirámide. Es triste, pero todo (ser) .... necesario.
Ayer (nosotros, llegar) .... a unas tierras que están cerca de Tayasal. ¡Nos vemos dentro de una semana!
Con mucho cariño te enviamos un gran abrazo,
Iktán y Muyal

Culturas precolombinas

En la historia de América se sucedieron varias culturas. Muchas de ellas dieron origen a otras más grandes como sucedió con los olmecas y los zapotecas (culturas que existieron entre los años 2000 a. C. y 300 d. C. aproximadamente), a los que sucedieron los mayas y los aztecas.

Estas culturas de Mesoamérica y Sudamérica son conocidas como civilizaciones precolombinas o prehispánicas, es decir: que surgieron o existieron antes de la llegada de los europeos tras el descubrimiento de Cristóbal Colón en 1492.

Las más conocidas por su extensión y por el legado que han dejado hasta nuestros días son las de los aztecas, los mayas y los incas.

Los aztecas se ubicaron en la meseta central de México, donde formaron un gran imperio cuya ciudad más importante fue Tenochtitlán, que corresponde a la actual Ciudad de México (capital de México). El periodo de mayor esplendor del Imperio azteca tuvo su inicio en el siglo XIV y terminó en 1521 con la conquista española.

La civilización incaica, que tuvo su origen en el siglo XII, derivó en el gran Imperio inca, que fue el imperio más extenso de la América precolombina: su territorio comprendía los actuales Ecuador, Perú, Bolivia y parte de Colombia, Argentina y Chile. Su centro político era la ciudad imperial de Cuzco (Perú).

Chilam Balam

¿Y los mayas?

A diferencia de los aztecas y los incas, los mayas no llegaron a crear un imperio. Diferentes grupos étnicos con características comunes (proveniencia de la parte central del actual México, origen lingüístico, cosmovisión...) se asentaron en la península de Yucatán, formando ciudades independientes que comerciaban –o también luchaban- entre ellas. La civilización maya tuvo una larguísima historia que se suele dividir en varios períodos: preclásico (2000 a.C.-250 d.C), clásico (250-950 d.C) y postclásico (950-1500 d. C). Cuando llegaron los españoles, las grandes ciudades mayas habían desaparecido casi completamente; se cree que las razones fueron las luchas internas y una grave crisis agrícola en las zonas internas de Yucatán.

Estas grandes ciudades, como Tikal, Calakmul, Chichén Itzá, Mayapán, Tulum o Uxmal, tenían como centro una grandiosa zona ceremonial con enormes construcciones como pirámides, palacios y muros que, gracias a su arquitectura vertical, acercaban a los hombres a sus dioses. Tenían una sociedad muy jerarquizada, donde el jefe supremo, los nobles y los sacerdotes tenían el papel más importante.

Los Códices, el *Chilam Balam* y el *Popol Vuh*

Los mayas tenían un sistema de escritura formado por ideogramas que aún no ha sido completamente descifrado. Los conquistadores destruyeron la mayor parte de los libros escritos por los mayas (que tenían su propio papel), pero por suerte se han salvado algunos fragmentos. Estos restos se llaman Códices y en ellos los mayas explicaban sus calendarios y horóscopos y hablan de astrología, ceremonias y profecías.

Los libros de *Chilam Balam* y el *Popol Vuh*

(siglos XVI y XVII) reunen narraciones de mitos, leyendas e historia maya. Los *Chilam Balam* están escritos en maya yucateco por autores anónimos; el *Popol Vuh* aparece en dos columnas con caracteres latinos: una en la lengua de los k'iché, un pueblo maya de Guatemala, y la otra en español. Parece que un indígena que aprendió a usar el alfabeto latino transcribió así las creencias de los mayas y un fraile las tradujo en el español de la época.

¿Sabías que...?

- Los mayas no conocían el uso de la rueda y por lo tanto no tenían carros u otros medios de transporte parecidos. Tampoco existían en América las bestias de carga: no había burros, caballos, vacas... por eso llevaban sus mercancías a cuestas o arrastrándolas.
- Tenían un zodíaco que era tan importante para ellos como el calendario. Estaba representado por 13 animales.
- El caucho es un material proveniente de la savia de ciertos árboles americanos; los mayas mezclaban esta savia con el líquido de una enredadera, y de esta manera hicieron las primeras pelotas de la historia, que usaban para el ritual juego de la pelota. ¡Los europeos no conocían este material que rebotaba al lanzarlo contra el suelo!

- De acuerdo con la mitología maya, el dios Kukulkán dio el cacao a los mayas después de la creación de la humanidad. Sus semillas se usaron como moneda de cambio en la mayoría de las culturas de Mesoamérica. Además, crearon una bebida llamada *chocolha* hecha con estas semillas y mezclada con especias, miel, maíz... esta bebida estaba destinada solo a reyes y nobles. Más tarde, se usó como medicina o para estimular a los guerreros.
- Los mayas tenían un sistema numérico vigesimal, que estaba representado por puntos (que eran unidades) y rayas (que representaban el 5). Además, usaban el cero, indicado por una concha. Utilizaban este sistema para medir el tiempo y crear sus calendarios.

Año 2012: la profecía maya

Sabemos ya que los mayas eran unos astrónomos tan hábiles, que crearon un calendario de 365 días anuales, que era más exacto que el que usaban los europeos en aquellos tiempos. Además, sus observaciones sobre las estrellas y los movimientos de los astros les llevaban a hacer profecías sobre el futuro. Hace unos años, algunos estudiosos de los calendarios y los códices mayas calcularon y publicaron una noticia que revelaba una profecía maya: ¡el fin del mundo llegaría el 21 de diciembre de 2012!

Muchos les creyeron, pero ovbiamente se trataba de una leyenda...
En la película titulada *2012* que Roland Emmerich dirigió en 2009, se narra un fin del mundo apocalíptico con enormes terremotos, erupciones y maremotos. ¡Tuvo un enorme éxito de taquilla en todo el mundo!

De Chichén Itzá a Tayasal

La liga de Mayapán, alianza entre varias de las ciudades más importantes de Yucatán, quizá no se rompió por causa de la princesa Sac-Nicté: en realidad, la historia de amor entre Sac-Nicté y el príncipe Canek es una leyenda maya. Pero es cierto que los itzaes tuvieron que abandonar Chichén Itzá y se asentaron en Tayasal (Guatemala). Esta fue una de las últimas ciudades mayas independientes que existieron: después de años de intentos (incluidos los intentos vanos de Hernán Cortés), los españoles la conquistaron en 1697.
Actualmente se llama Ciudad de las Flores y es un importante centro turístico.

Chichén Itzá

Test final

El dios Kukulcán de los mayas está directamente relacionado con otro dios con forma de serpiente emplumada que fue adorado en toda Mesoamérica por los aztecas. Descubre cómo se llama.

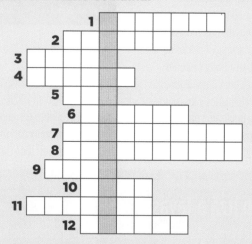

1 Pájaro sagrado para los mayas.

2 Material muy elástico proveniente de las plantas. Los mayas realizaban pelotas con él.

3 Pequeño pimiento picante.

4 Pozo subterráneo de agua dulce, normalmente con abertura al exterior.

5 Contrario de "guerra".

6 Gran felino americano de color amarillento con manchas negras, muy veloz.

7 El que utilizaban los mayas era muy exacto, de 365 días.

8 Ofrenda que se da a los dioses; por ejemplo, los mayas lo lanzaban al cenote.

9 Mamífero con cola larga que vive subido a los árboles. Iktán es igual de ágil.

10 Principal alimento de los mayas y actualmente alimento con mayor producción mundial.

11 Península en la que se asentaron los mayas.

12 Signos que formaban el sistema de escritura de los mayas.

Programa de estudio

//

Temas
Amistad, lealtad
Aventura, misterio

Destrezas
Comprender un texto: lectura y/o escucha
Responder a preguntas de comprensión
Describir personas (oral y escrito)
Describir una situación y a una persona
Escribir una carta

Contenidos gramaticales
Presente de indicativo (verbos regulares y algunos
casos de irregulares)
Verbos pronominales (reflexivos)
Verbos *ser, estar, tener, ir*
El impersonal *hay*
Sustantivos y adjetivos
Frases relativas
Artículos, posesivos, demostrativos
Marcadores temporales
Pretérito indefinido (verbos regulares y algunos
irregulares)
Pretérito perfecto (participios regulares y algunos
irregulares)
Pretérito imperfecto
Imperativo de *tú* y de *vosotros*
Preposiciones *a, de, por, para*
Pronombres OD y OI, tónicos y átonos
Tener que + infinitivo/ hay que + infinitivo (deber)
Ir a + infinitivo (futuro)
Acabar de + infinitivo

Lecturas (ELI) Adolescentes

Nivel 1
Maureen Simpson, *En busca del amigo desaparecido*
Miguel de Cervantes, *Rinconete y Cortadillo*
Raquel García Prieto, *¡Colegas!*
Francisco de Quevedo, *La vida del Buscón*

Nivel 2
Don Juan Manuel, *El conde Lucanor*
Miguel de Cervantes, *La gitanilla*
Johnston McCulley, *El Zorro*
Maria Luisa Banfi, *Un mundo lejano*
Mary Flagan, *El recuerdo egipcio*
Anónimo, *Cantar de mio Cid*
Raquel García Prieto, *La katana de Toledo*
Tirso de Molina, *Don Gil de las calzas verdes*
Raquel García Prieto, *Iktán y la pirámide de Chichén Itzá (Una aventura maya)*

Nivel 3
Tirso de Molina, *El burlador de Sevilla*
Mary Flagan, *El diario de Val*
Maureen Simpson, *Destino Karminia*
Gustavo Adolfo Bécquer, *Leyendas*